Gallimard Jeunesse/Giboulées
Sous la direction de Colline Faure-Poirée

Conception graphique: Néjib Belhadj Kacem
© Gallimard Jeunesse, 2006
ISBN : 2-07-05-7572-1
Dépôt légal : mai 2006
Numéro d'édition : 141726
Loi n° 49956 du 16 juillet 1949
sur les publications destinées à la jeunesse
Imprimé en Belgique

Attendre un petit frère ou une petite sœur

Textes : Dr Catherine Dolto et Colline Faure-Poirée
Illustrations : Frédérick Mansot

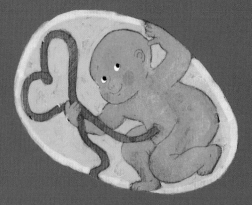

GiBOULÉES
GALLIMARD JEUNESSE

Bientôt nous aurons un bébé à la maison, mes parents sont très contents.

Maintenant le ventre de maman est tout rond. Le bébé est dans une poche pleine d'eau. Son cordon ombilical le relie à son placenta.

Le placenta est comme une grosse éponge plate qui transforme tout ce que la maman mange en bonnes choses pour le bébé, c'est ainsi qu'il grandit.

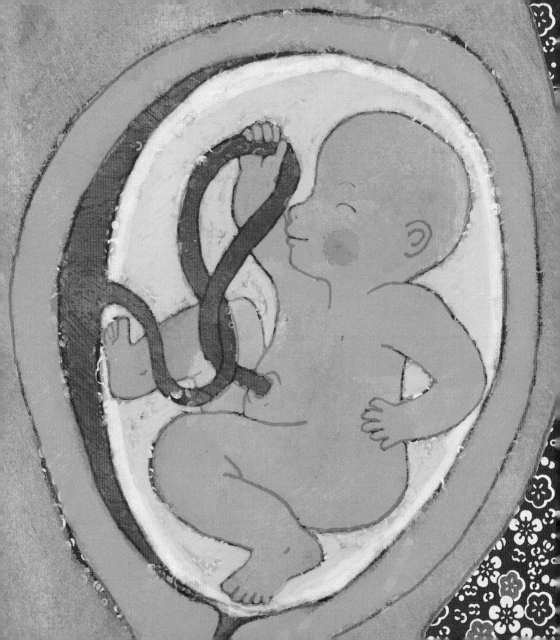

Comme il a bien grandi on le sent bouger, quand on parle tout près du ventre il s'approche, il aime surtout la voix de papa.

Le bébé joue avec ses mains, son cordon et ses pieds. Quand on lui fait un câlin il vient tout près.

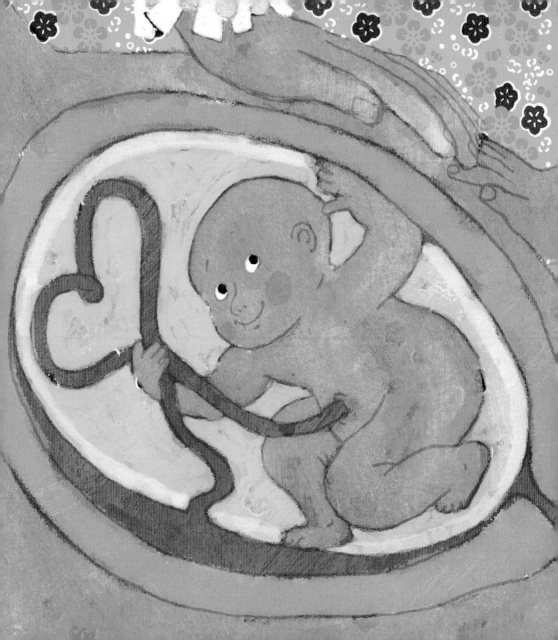

Il y a des jours où je ne suis pas contente que le bébé arrive. Je crois que je ne vais pas l'aimer, il n'y a même pas de place pour lui ici.

C'est quand même amusant de lui préparer une chambre. Maman a ressorti mon petit berceau et les habits de bébé, j'étais vraiment toute petite mais je ne m'en souviens pas.

Je me suis fait raconter l'histoire de ma naissance à moi, nous avons regardé les photos et les films de quand j'étais toute petite. J'étais mignonne quand même.

Le bébé est prêt à naître, mes grands-parents viennent me garder.

Je me demande bien si c'est un frère ou une sœur.

À partir de maintenant tout sera différent, le bébé est né, c'est un petit frère. Ça me fait tout drôle, mais je crois que ce sera bien.

Dans la même collection: